Jôcs Gwirion

GWYN A DAI

Jôcs gan Gwyn Morgan

Lluniau gan Dai Owen

Cnoc! Cnoc!

Cnoc! Cnoc!
Cnoc! Cnoc!
Cnoc! Cnoc!

Cnoc! Cnoc!
Pwy sy 'na?
Ceri.
Ceri pwy?
Cer i nôl rhywun i agor y drws.

Cnoc! Cnoc!
Pwy sy 'na?
Mari.
Mari pwy?
Ma' rif ffôn Siân 'da fi.

Cnoc! Cnoc!
Pwy sy 'na?
Alun.
Alun pwy?
A luniaist di restr i mi?

Cnoc! Cnoc!
Pwy sy 'na?
Megan.
Megan pwy?
Me gan Geraint ddeg arth yn ei atig.

Cnoc! Cnoc!
Pwy sy 'na?
Cnoc! Cnoc!
Pwy sy 'na?
Cnoc! Cnoc!
Cnoc Cnoc pwy?
Cnoc Cnocell y coed.

Cnoc! Cnoc!

Cnoc! Cnoc!
Pwy sy 'na?
Pegwn.
Pegwn pwy?
Pe gwn i hynny, fyddwn i ddim yn dweud wrthot ti!

Cnoc! Cnoc!
Pwy sy 'na?
Dafydd.
Dafydd pwy?
Da fydd cyrraedd y gêm ar amser.

Cnoc! Cnoc!

Cnoc! Cnoc!
Pwy sy 'na?
Sara.
Sara pwy?
Sa ras can metr yn dda.

GWYN A DAI

Gwyn: Tri eliffant o dan ymbarél yn y Sahara,
ond ni wlychodd 'run ohonyn nhw.
Dai: Pam ddim?
Gwyn: Doedd hi ddim yn bwrw glaw.

Beth wyt ti'n ei wneud o dan y gwely, Dai?
Dwi'n meddwl 'mod i'n poti, Gwyn!

Gwyn, rwyt ti mor dew mae dy gysgod yn pwyso 15 stôn!
Hy! Rwyt ti, Dai, mor denau mae'n rhaid i ti redeg o gwmpas yn y gawod er mwyn gwlychu!

Ga i fenthyg dy siampŵ di, Dai?
Pa fath, Gwyn? Ar gyfer gwallt sych, gwallt seimllyd ta gwallt normal?
Nage – ar gyfer gwallt brwnt!

Gwyn: Beth wyt ti'n ei wneud?
Dai: Sgwennu at fy mrawd.
Gwyn: Ond smo ti'n gallu sgwennu.
Dai: Paid â phoeni, dydi fy mrawd ddim yn gallu darllen chwaith.

Gwyn: Mae 'da fi chwe choes, pedair braich,
wyth clust a thri llygad. Beth ydw i?
Dai: Celwyddgi.

Dai: Mae gen i ffrind â choes bren o'r enw Huw.
Gwyn: Beth yw enw'i goes arall e, 'te?

Gwyn: Bwyta dy foron, Dai. Maen nhw'n dda i dy lygaid.
Dai: Sut wyt ti'n gwybod?
Gwyn: Wel, pryd welaist ti gwningen yn gwisgo sbectol?

Dai: Sut mae lladd pysgodyn?
Gwyn: Ei foddi e, siŵr iawn!

Gwyn: Dai! Dai! Wyt ti'n siŵr dy fod wedi coginio'r
pysgodyn 'ma'n iawn?
Dai: Do, pam?
Gwyn: Mae e wedi bwyta fy sglodion i!

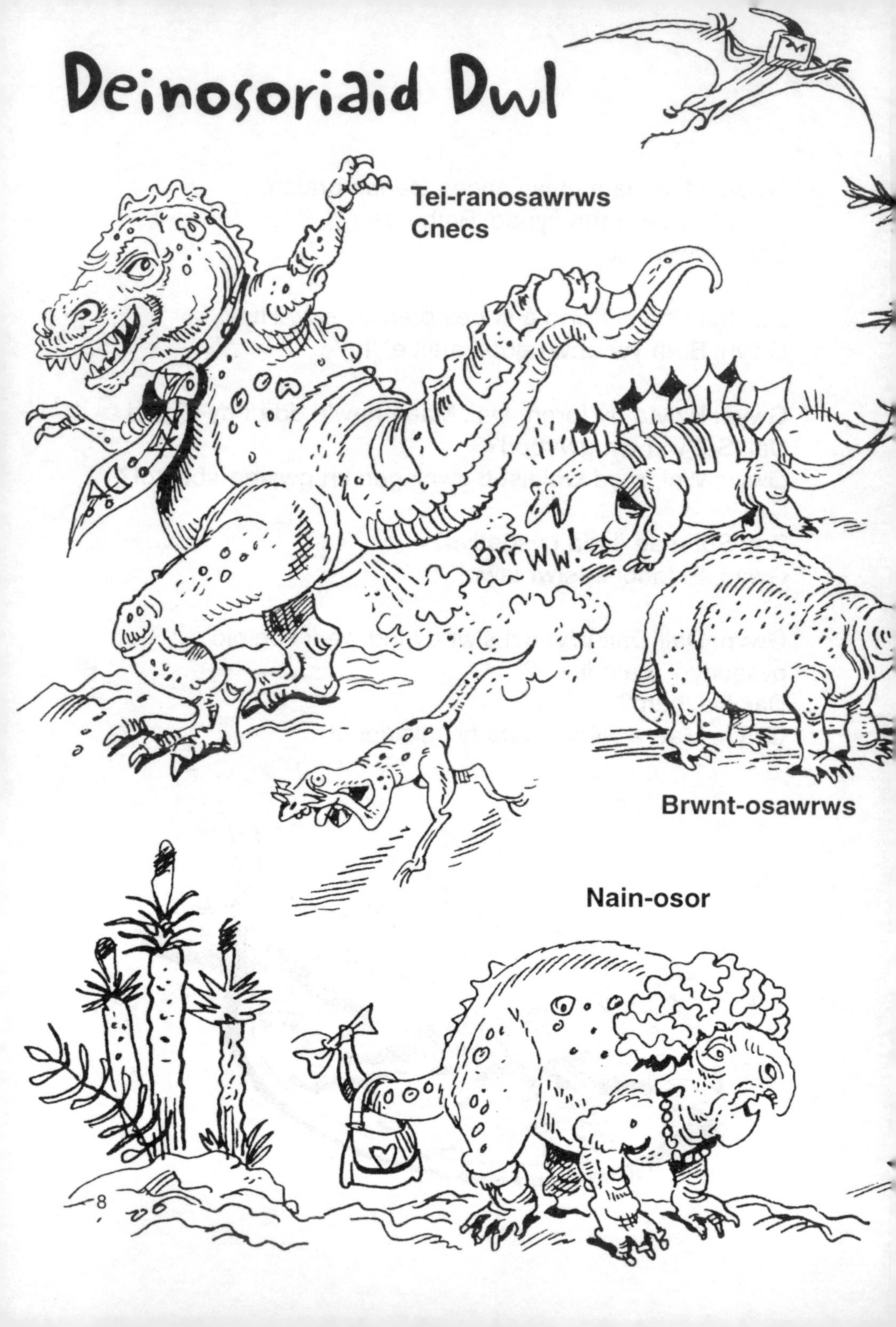
Deinosoriaid Dwl
Tei-ranosawrws
Cnecs
Brrww!
Brwnt-osawrws
Nain-osor

Teli-dactyl
Lein-osor
Tri-sera-pops

Doctor! Doctor!

Doctor! Doctor! Mae fy mab wedi llyncu beiro. Beth wna i?
Defnyddia bensil nes i mi ddod atoch chi.

Doctor! Doctor! Mae pawb yn meddwl 'mod i'n dweud celwydd.
Dwi ddim yn dy gredu di.

Doctor! Doctor! Dwi'n meddwl bod 'na ddau ohona i.
Un ar y tro os gwelwch chi'n dda.

Dyn: Aw! Mae cranc wedi fy mrathu ar un o fysedd fy nhraed.
Doctor: Pa un?
Dyn: Dwn i ddim, mae pob cranc yn edrych yn debyg i fi.

Doctor! Doctor! Mae fy mrawd yn meddwl ei fod e'n iâr.
Dwêd wrtho am ddod i 'ngweld i.
Na wnaf, mae angen yr wyau arna i!

Doctor! Doctor! Dwi'n teimlo fel y lleuad.
Alla i mo dy weld di nawr. Dere'n ôl heno.

Claf: Doctor! Doctor! Dwi wedi llyncu'r ffilm o'r camera.
Doctor: Dwi'n gobeithio na fydd dim yn datblygu.

Doctor! Doctor! Dwi wedi llyncu dafad.
Sut wyt ti'n teimlo?
Dim yn dda-a-a-a-a ia-a-a-wn!

Claf: Doctor! Doctor! Dwi'n teimlo fel ci.
Doctor: Eistedda.
Claf: Na, dwi ddim yn cael mynd ar y celfi.

Doctor! Doctor! Dwi'n teimlo fel afal.
Paid â bod ofn, wna i mo dy fwyta di.

Anifeiliaid

Beth ddylet ti wneud os ddoi di o hyd i gorila'n cysgu yn dy wely?
– Cysgu'n rhywle arall.

Sut wyt ti'n gwybod fod pwrs crocodeil yn un go iawn?
–Bydd e'n agor a chau ei geg.

Beth yw hoff bwnc neidr yn yr ysgol?
– Hanesssssssss.

Pa anifeiliaid sy'n gallu neidio'n uwch na thŷ?
– Mae pob anifail yn gallu oherwydd dyw tŷ ddim yn gallu neidio.

Pa gath sy'n nofio dan y môr?
– Octapws.

Pa sŵn mae cath yn ei wneud wrth deithio ar hyd yr M4?
– Miaaaaaaaaaaaaaaaaaawwwwwwwwwwwwww!

Pa aderyn sy'n byw mewn iglw?
– Cyw iâ.

“Bow-wow,” meddai’r gath;
“Mi-aw,” meddai’r ci;
“Soch, soch,” meddai Dad.
“Twit-twit!” meddwn i.

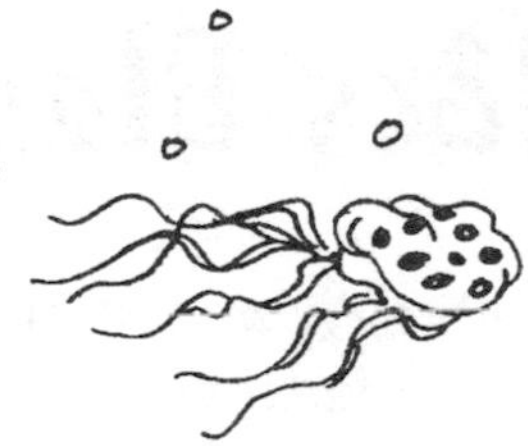

Ble mae pysgod yn coginio eu bwyd?
– Mewn meicrodon.

Cŵn bach yn dawnsio un, dau, tri,
Cŵn bach yn yfed, dyna sbri.
Cŵn bach yn chwilio am dŷ bach,
Methu’i ffeindio! Pi! Pi! Pi!

Pa gêm mae cŵn yn chwarae gyda’i gilydd?
– Dal-di-gi.

Ble mae morfilod yn cysgu?
– Ar wely’r môr.

Jôcs Blasus

Beth sy'n well na bar o siocled?
– Dau far o siocled.

Mam: Bwyta dy fresych, i ti gael
lliw yn dy fochau.
Plentyn: Ond dydw i ddim eisiau cael bochau gwyrdd.

Pam griodd y mefus bach?
– Am fod eu tad mewn jam.

Betingalw omlet sy'n mynd am yn ôl?
– Telmo.

Mae bîns yr archfarchnad
Yn blasu'n hyfryd iawn;
Bwyta plataid mawr wnaeth Dad
A chnecu drwy'r prynhawn.

Beth yw'r tŵr mwyaf blasus yn y byd?
– Y Tŵr Treiffl.

Pa bryd bwyd sy'n wych?
– Sw-per.

Beth sy 'da fi os ydy lorri laeth yn disgyn dros y dibyn ac yn troi a throsi?
– Lorri iogwrt.

Beth fedrwch chi ei roi yn y rhewgell sy'n gallu cadw'n boeth?
– Mwstard.

Beth sy'n mynd 100 milltir yr awr ar hyd cledrau'r trên ac sy'n felyn a gwyn?
– Brechdan wy y gyrrwr trên.

Gweinydd! Gweinydd! Oes coesau brogaod 'da chi?
Nac oes, syr, dwi'n cerdded fel hyn erioed.

Gweinydd! Gweinydd! Ydych chi'n gwasanaethu crancod?
Eisteddwch, syr. Rydyn ni'n gwasanaethu pawb yma.

Pam mae cogyddion yn greulon?
– Am eu bod nhw'n curo wyau.

Pobl Od

Mae gen i saith trwyn, chwe cheg a saith clust.
Beth ydw i?
– Hyll iawn!

Glywsoch chi am y dyn brynodd siop bapur?
Naddo.
Fe chwythodd y gwynt ei siop i ffwrdd.

Glywsoch chi am fy mrawd? Mae e'n cael croeso
cynnes iawn ym mhobobman mae e'n mynd.
Mae e'n boblogaidd, felly.
Nac ydy, dyn tân yw e.

Beth sy'n binc wrth iddo fynd i mewn i'r dŵr ac
sy'n dod allan yn las?
– Nofiwr ar ddiwrnod oer.

Ble mae terfyn Elin?
– Ei phenelin.

Pa leidr oedd yn dwyn bwyd sbeisi drwy'r amser?
– Twm Siôn Balti.

Beth mae dyn barfog yn sgrifennu?
– Barf-oniaeth.

Beth sy'n wyrdd, yn llysnafeddog, ac sy'n byw yn fy hances?
– Fy mroga anwes i.

Beth mae naturiaethwr yn ei wisgo ar ei ben?
– Coed-wig.

Man a Man

Ble dach chi'n mynd i chwilio am gariad?
– Caersws.

Ble mae planhigion yn cysgu?
– Mewn gwely blodau.

Ble mae pobl sy'n poeni drwy'r amser yn byw?
– Llandefalle.

Beth ydy'r gwahaniaeth rhwng pegwn y de a phegwn y gogledd?
– Mae byd o wahaniaeth.

Ble mae moch bach yn byw?
– Abersoch-soch-soch.

Beth yw enw'r canwr pop enwog sy'n byw yng ngorllewin Cymru?
– Elvis Preseli.

Pa offeryn mae Rwsiad yn ei ganu yng Nghymru?
– Bala-leica.

Cyflwynydd Newyddion: Mae 'na dwll ar yr M4 ac mae'r heddlu'n yn edrych i mewn iddo.

Ble mae sant twp yn byw?
– Llantwit.

Lle gewch chi ddŵr cyfeillgar?
– Nant Garedig.

Lle mae hoff le llygod?
– Nant y Caws.

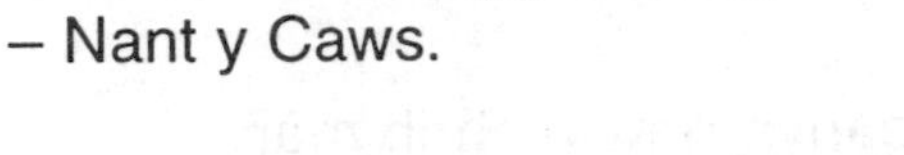

Pam aeth Mickey Mouse i'r gofod?
– I chwilio am Pluto.

Dosbarth Doniol

Athro: Dwi'n cario tair sach o fananas ar un fraich a chwe sach o fananas ar y fraich arall. Beth sy 'da fi?
Plentyn: Breichiau cryfion.

Dyma sut i ddifetha drama'r geni.
Joseff: Oes lle i ni yn y llety?
Ceidwad: Oes, dewch i mewn.

Athro: Mae lladron wedi dwyn lorri'n llawn o sychwyr gwallt.
Mae'r heddlu'n chwilio amdanyn nhw â chrib mân.

Athro: Sillafa eliffant.
Disgybl: E-l-i-ff-a-n . . .
Athro: Beth sy ar y diwedd?
Disgybl: Ei gynffon, syr.

Athro: Pa ateb fydd athro yn ei dderbyn amlaf?
Disgybl: Wn i ddim.
Athro: Ie, "wn i ddim".

Disgybl: Fyddech chi'n dweud y drefn wrth rywun sy heb wneud dim?
Athro: Na fyddwn.
Disgybl: Gwych! Dwi ddim wedi gwneud fy ngwaith cartre eto, syr.

Athrawes: Ym mha fis mae 28 diwrnod?
Disgybl: Ym mhob un, miss!

Mam: Ydi dy athrawes yn dy hoffi di?
Huw: Ydi, mae hi o hyd yn rhoi swsys coch ar fy ngwaith!

Athro: Beth wyt ti'n galw dyn â char ar ei ben?
Plentyn: Jac.

Athro: Beth wyt ti'n galw menyw â theiar ar ei phen?
Plentyn: Olwen.

Cnoc! Cnoc!

Cnoc! Cnoc!
Pwy sy ’na?
Menna.
Menna pwy?
Men ’na un deg un o chwaraewyr mewn tîm pêl-droed.

Cnoc! Cnoc!
Pwy sy ’na?
Menna.
Menna pwy?
Men ’na ateb twp i bob dim.

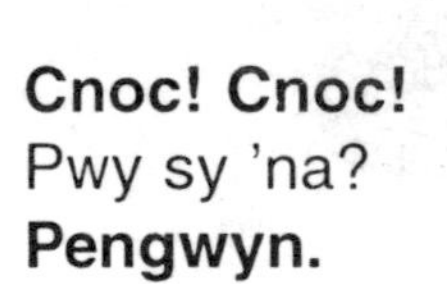

Cnoc! Cnoc!
Pwy sy ’na?
Pengwyn.
Pengwyn pwy?
Pen gwyn sy gen i, pa liw yw dy ben di?

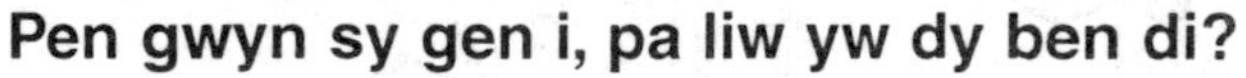

Cnoc! Cnoc!
Pwy sy ’na?
Ceri
Ceri pwy?
Cer i grafu.

Cnoc! Cnoc!
Pwy sy 'na?
Toes.
Toes pwy?
Toes dim ots 'da fi be ti'n fy ngalw i.

Cnoc! Cnoc!
Pwy sy 'na?
Alan.
Alan pwy?
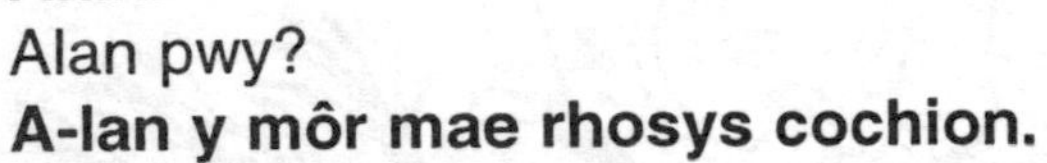
A-lan y môr mae rhosys cochion.

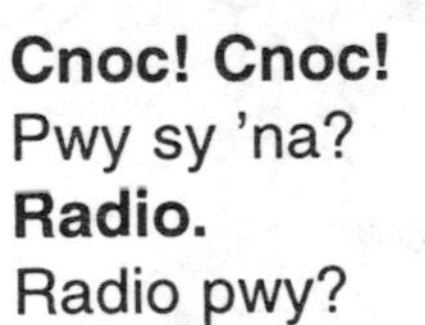

Cnoc! Cnoc!
Pwy sy 'na?
Radio.
Radio pwy?
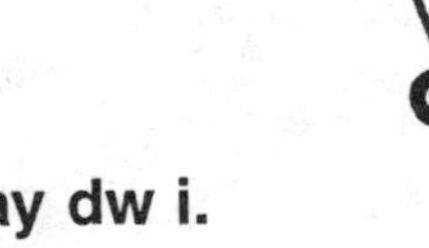
Rah di o a Ray dw i.

Cnoc! Cnoc!
Pwy sy 'na?
Hufen.
Hufen pwy?

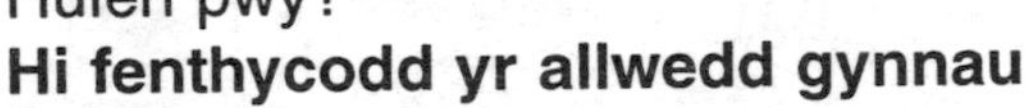
Hi fenthycodd yr allwedd gynnau

Deinosoriaid Del
Teg-osor
Wig-wanodon
Sip-lodocws

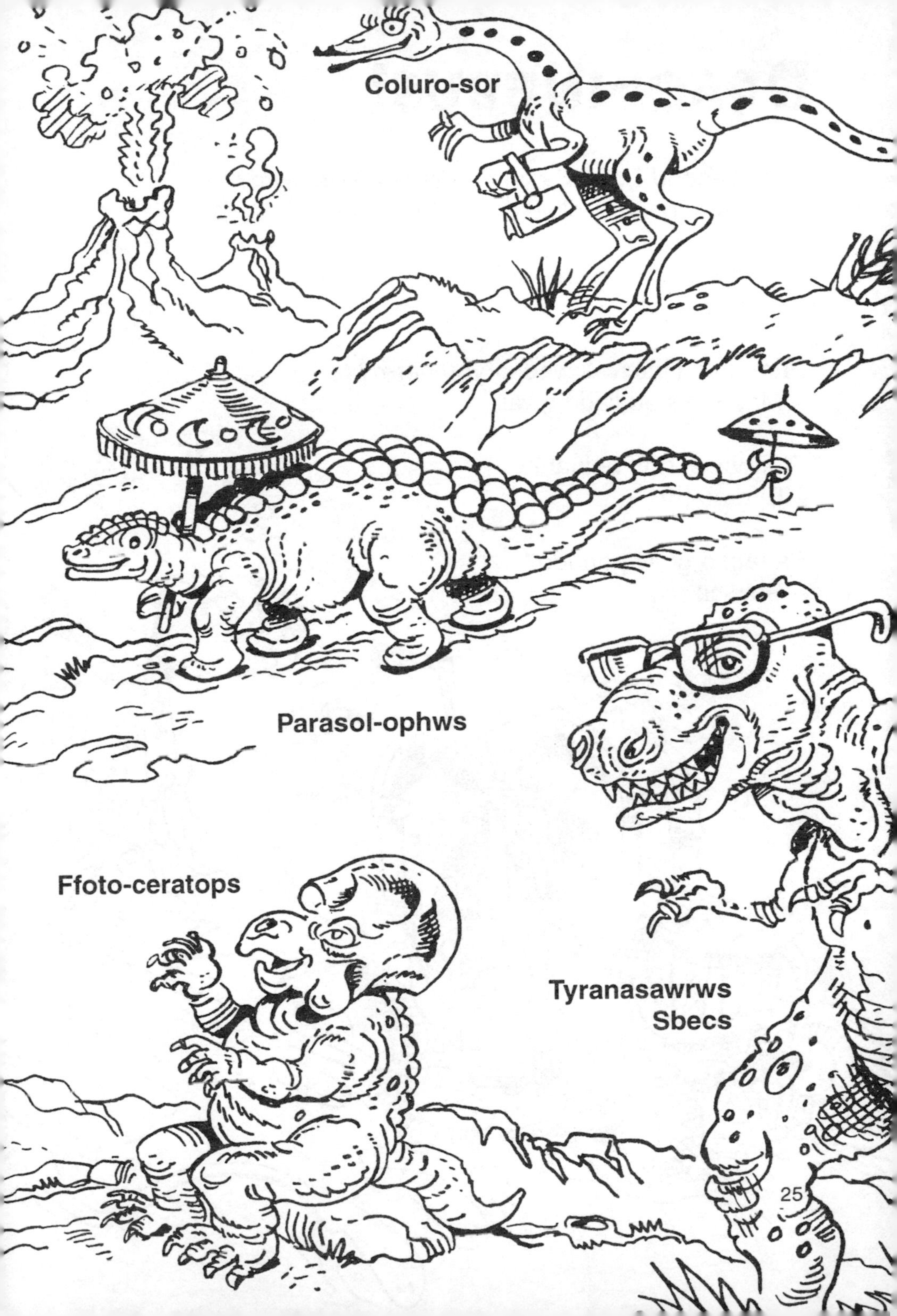
Coluro-sor
Parasol-ophws
Ffoto-ceratops
Tyranasawrws
Sbecs

DRAC-INEBUS!

Beth ganodd Draciwla yn Stadiwm y Mileniwm?
– 'Gwaed, gwaed, pleidiol wyf i'm gwaed . . . '

Pa faner oedd e'n chwifio?
– Y Drac Coch.

Pam mae Draciwla wedi prynu fferm?
– Mae e eisiau lladd gwair.

P'un yw ei hoff beiriant?
– Ei drac-tor.

Pa fath o gi sy ganddo?
– Sbw-ci.

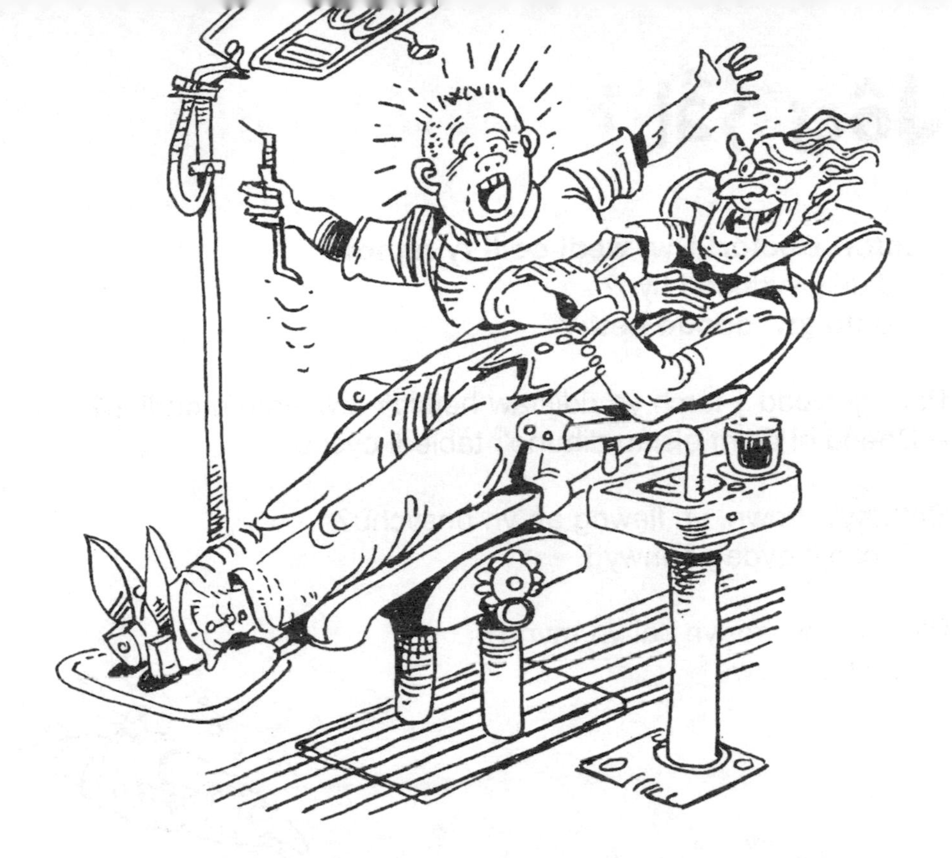

Beth ddwedodd y deintydd ar ôl gofyn i Draciwla agor ei geg?
AWWWWWWW!

Pwy sy'n coginio iddo?
– Cwci-bo.

P'un yw hoff anifail Draciwla?
– Jiráff (iym iym iym iym iym . . .)

Pa ddilledyn mae e'n casáu?
Sgarff!

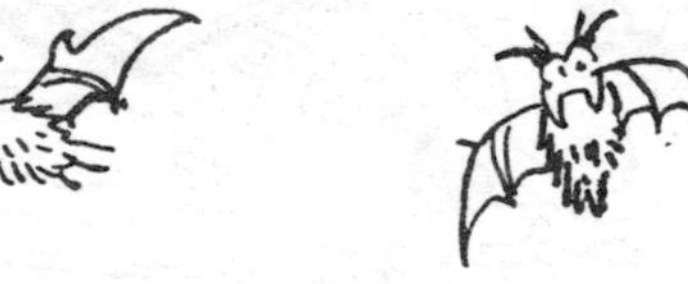

P'un yw ei hoff liw?
Nefi bw!

Jôcs Sâl

Doctor! Doctor! Dwi wedi colli fy nghof.
Pryd ddigwyddodd hyn?
Pryd ddigwyddodd beth?

Pam gripiodd y ferch yn ddistaw heibio'r cwpwrdd moddion?
– Doedd hi ddim eisiau dihuno'r tabledi cysgu.

Beth sy'n frown, yn flewog ac yn pesychu?
– Coconyt gydag annwyd.

Ble mae pysgodyn sâl yn mynd?
– At y Doctopws.

Pam oedd y ferch fach yn neidio lan a lawr?
– Am ei bod hi wedi cymryd moddion ond wedi anghofio ysgwyd y botel.

Dihunwch, Mr Morgan.
Pam, beth sy'n bod, nyrs?
R'ych chi wedi anghofio cymryd eich tabledi cysgu.

Beth sy'n digwydd os wyt ti'n deialu 403825483048672314365?
– Fe gei di boen yn dy fawd.

Doctor! Doctor! Mae fy ngolwg yn gwaethygu.
Ydi! R'ych chi yn swyddfa'r post!

Doctor! Doctor! Dwi ddim yn gallu stopio dwyn pethau.
Mi ro i rywbeth i chi gymryd nawr.

Beth ddwedodd Gwyn ar ôl bwyta cyri poeth?
Wps! Rhaid imi Vind-i'r-lw! Nawr!

GWYN A DAI

Gwyn: Beth yw'r gwahaniaeth rhwng blwch postio a phot jam?
Dai: Wn i ddim.
Gwyn: Fyddwn i byth yn dy ddanfon di i bostio llythyr.

Gwyn: Est ti i sgio dŵr ar dy wyliau?
Dai: Naddo. Doeddwn i ddim yn gallu dod o hyd i lyn ar slant.

Dai: Dwi wedi colli fy nghi.
Gwyn: Pam na faset ti'n rhoi hysbyseb yn y papur?
Dai: Paid â bod yn wirion, dydi'r ci ddim yn gallu darllen.

Gwyn: Wyt ti wedi dweud wrth y crwt 'na i beidio â'm dynwared i?
Dai: Do. Ddwedais i wrtho am roi'r gorau i ymddwyn fel twpsyn.

Gwyn: Beth wyt ti nawr?
Dai: Potyn halen.
Gwyn: Wel am gyd-ddigwyddiad,
dw innau'n botyn halen hefyd.
Dai: Beth am i ni ysgwyd 'ta?

Gwyn: Pam mae 'da dy frawd lwmpyn ar ei ben?
Dai: Fe daflodd rhywun domatos ato.
Gwyn: Beth? Mae tomatos yn feddal!
Dai: Ond roedd y rhain yn dal yn y tun.

Dai! Dai! Fydd y crempogau'n hir?
Na fyddan, Gwyn. Byddan nhw'n grwn.

Dai! Dai! Mae cleren yn fy nghawl i.
Paid â phoeni, Gwyn. Bydd y corryn
yn y salad yn ei bwyta hi wedyn.

Dai! Dai! Mae corryn yn chwarae yn fy mowlen i.
Oes wir, Gwyn, ac mae o'n chwarae yn y cwpan fory.

Gwyn: Pan o'n i ar fy ngwyliau neidiais o'r gwely,
cydio yn fy ngwn a saethu teigr yn fy mhyjamas.
Dai: Ond pam oedd 'na deigr yn dy byjamas di, Gwyn?

Pobl Od

Pam mae rheolwyr banc yn cario bagiau?
– Achos dydy bagiau ddim yn cerdded.

Bachgen: Mae ’na ddyn wrth y drws yn casglu at y pwll nofio newydd.
Dad: Rho wydraid o ddŵr iddo ’te.

Glywsoch chi am y bachgen ddihangodd gyda’r syrcas?
– Roedd yr heddlu am iddo ddod â’r syrcas yn ôl.

Bachgen: Dad, oes tyllau gyda ti yn dy sanau?
Dad: Nac oes!
Bachgen: Felly sut wyt ti’n gallu rhoi dy draed ynddyn nhw?

Pa wleidydd sy’n gwasgaru sbwriel?
– Tony Blêr.

Americanwr: Americanwr oedd y cyntaf ar y lleuad.
Cymro: Cywir.
Americanwr: Americanwyr yw'r gorau am deithio'r gofod.
Cymro: Cywir. Ond mae Cymru'n mynd i yrru dyn i'r haul.
Americanwr: Byth, mae hi'n rhy boeth yno!
Cymro: Ydi, ond rydyn ni'n mynd yn y nos.

Americanwr: Mae fy ffarm i mor fawr, mae'n cymryd diwrnod a hanner i mi yrru o'i chwmpas.
Cymro: Roedd car fel'na gen i unwaith hefyd.

Sawl canwr gwerin sydd ei angen i newid bwlb?
– Cant. Un i newid y bwlb a naw deg naw i ganu am yr hen un.

Sawl gweithiwr cyngor sydd ei angen i gloddio twll?
– Deg. Un i dorri'r twll a naw i edrych arno.

Sawl storïwr sydd ei angen i newid teiar?
– Deg. Un i newid y teiar a naw i adrodd stori'r hen deiar.

Beth mae cyfansoddwyr yn ei sgrifennu yn y bath?
– Operâu sebon.

A-A-Anifeiliaid!

Pa gêm mae crocodilod yn ei chwarae gyda'i gilydd?
– SNAP!

Sut mae gwenyn yn teithio?
– Mewn cwch gwenyn.

Beth gei di wrth groesi hipopotamws â phlanhigyn?
– Hipodendron.

Beth sy'n wyrdd ac sy'n dweud th-th-th-th?
– Neidr heb ddannedd.

Sut dŷ sy gan eliffant cas?
– Fflat.

Sut gar sy gan grocodeil?
– Hen groc!

Betingalw eliffant sy'n hedfan?
– Celwyddgi.

Pam mae pen ceiliog wastad yn daclus?
– Mae e wastad yn cario crib.

Sut mae eliffant yn cario'i ddillad?
– Yn ei drwnc.

Tra'n gwylio adar
Heb sylwi dim;
Dros y dibyn
Aeth Jim yn chwim.

Beth ddywedodd y ci wrth gael ei gyflwyno i'w gymydog?
– "Mae hi'n dda gen i dy gyfarth di."

Sut mae dal mwnci?
– Hongian ben i lawr o goeden a gwneud sŵn fel banana.

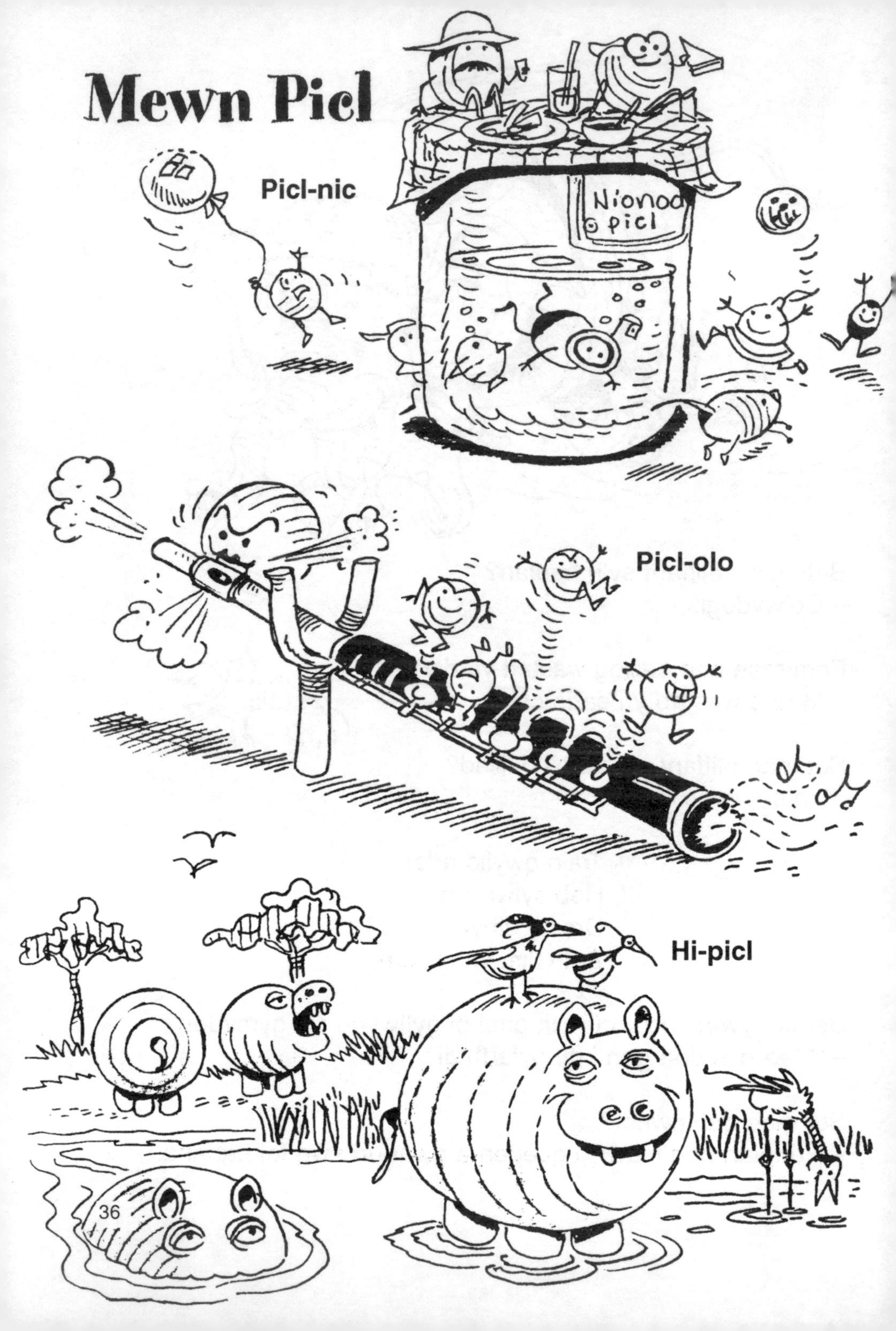
Mewn Picl
Picl-nic
Nionod picl
Picl-olo
Hi-picl

Gêmau Olym-picl
OLYMPICL
2
Picl-i pala
?
Ar bicl-au'r drain

Be gei di wrth groesi . . .

. . . gwrach a brân?
– Canu swynol.

. . . cilt ac afal?
– Tartan afal.

. . . llygoden a Gorgonzola?
– Mici Caws.

. . . gwm cnoi ac io-io?
– Dim syniad, ond os llynci di e, fe ddaw e'n ôl lan.

. . . tîm pêl-droed a brecwast?
– Man. Uwd.

. . . Teletubby ac arogl cas?
– Tinci-stinci.

Be gei di wrth groesi . . .

. . . ceiliog a chi bach del?
– Cocapwdldw.

. . . blanced a thostiwr?
– Pobl sy'n popian allan o'r gwely yn y bore.

. . . hances a draenog?
– Hances sy'n pigo trwyn.

. . . afal a chrocodeil?
– Afal sy'n dy gnoi di'n ôl.

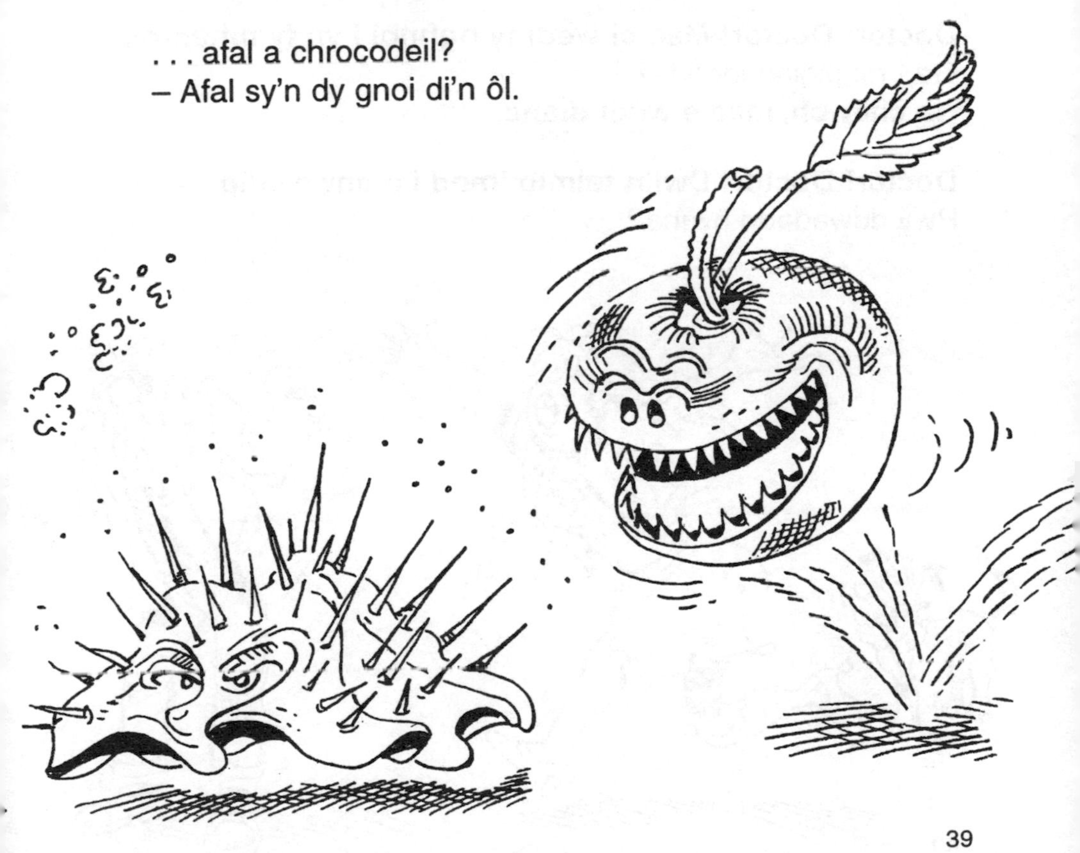

Doctor! Doctor!

Brecwast – losin
Cinio – sbageti
Swper – siocledi
Cyn gwely – chwydu.

Claf: Dwi'n gweld streipiau glas ac eliffantod coch o flaen fy llygad.
Ffrind y claf: Wyt ti wedi gweld doctor?
Claf: Nac ydw. Dim ond streipiau glas ac eliffantod coch.

Doctor! Doctor! Mae ci wedi fy nghnoi i yn fy mhen-ôl.
Ga i roi pigiad iddo fe?
Na chewch, mae e wedi dianc.

Doctor! Doctor! Dwi'n teimlo 'mod i'n anweledig.
Pwy ddwedodd hynna?

Doctor! Doctor! Dwi'n teimlo fel pêl snwcer.
Cer i gefn y ciw.

Doctor! Doctor! Dwi wedi llyncu dafad.
Pryd wnest ti hynny?
Me-e-e-e-he-e-fin.

Doctor: Mae eisiau sbectol arnat ti.
Claf: Pryd wnaethoch chi sylwi ar hynny?
Doctor: Y foment y cerddaist ti i mewn drwy wydr y ffenest.

Doctor! Doctor! Mae fy ngwraig i'n meddwl ei bod hi'n wiwer.
Dwedwch wrthi am ddod i 'ngweld i.
Alla i ddim. Mae hi wedi bod yn cysgu dros y gaeaf.

Beth ddywedodd yr iâr wrth y doctor?
– Dwi'n glwc heddiw.

Doctor! Doctor! Dwi wedi llyncu neidr.
Sut wyt ti'n teimlo?
S-s-s-s-s-s-wp s-s-s-s-s-âl!

Cywion Enwog

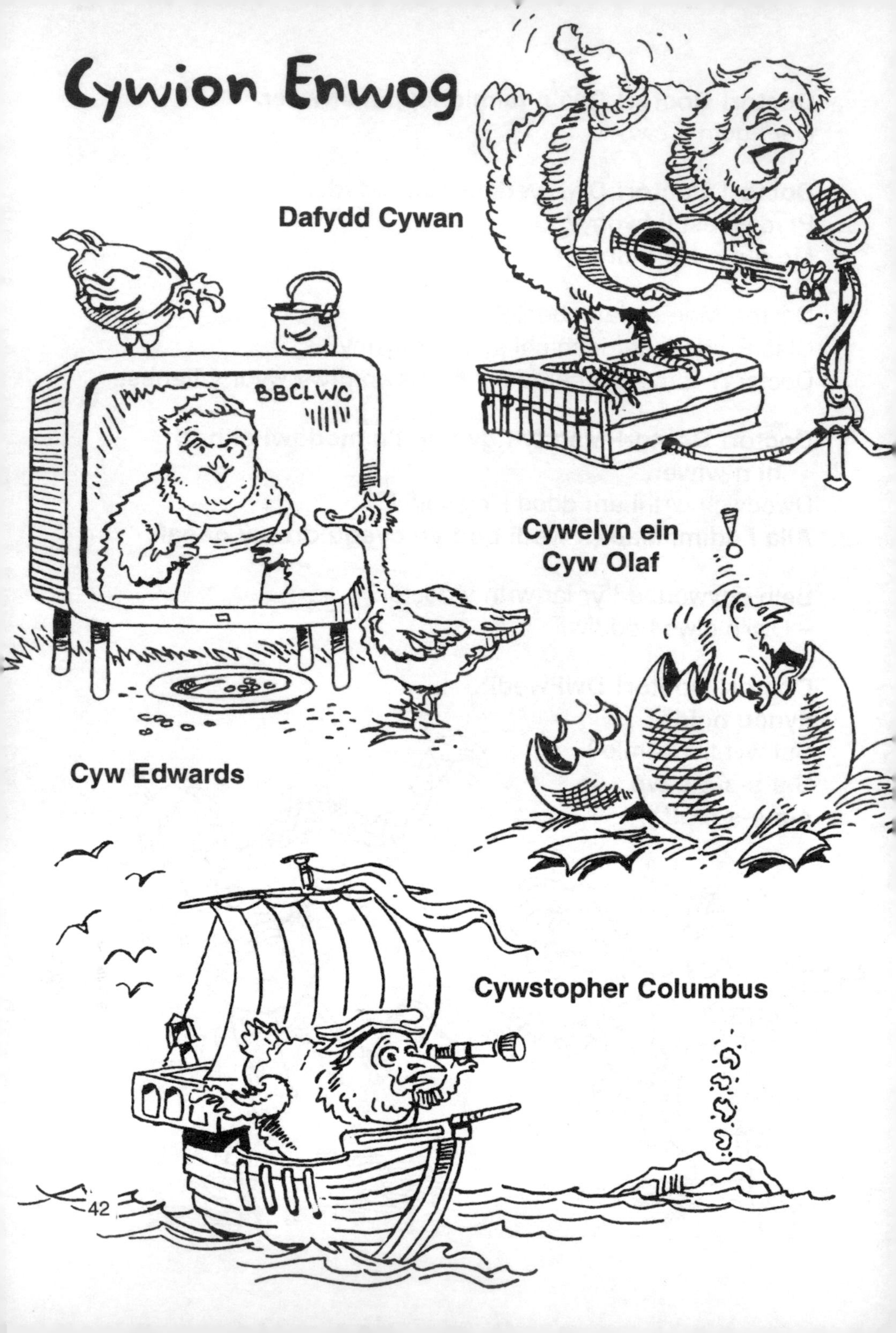

Marie
Cyw-rie
Cywel Dda
Cywelyn Fawr

Cnoc! Cnoc!

Cnoc! Cnoc!
Pwy sy 'na?
Tedi.
Tedi pwy?
Ted i weld pwy sy wrth y drws.

Cnoc! Cnoc!

Cnoc! Cnoc!

Cnoc! Cnoc!
Pwy sy 'na?
Sgini.
Sgini pwy?
Sgin i ddim syniad pwy.

Cnoc! Cnoc!
Pwy sy 'na?
Dyd.
Dyd pwy?
Dydi dy gloch di ddim yn gweithio.

Cnoc! Cnoc!
Pwy sy 'na?
Roy.
Roy pwy?
Roy'n canu fel cana'r aderyn.

Cnoc! Cnoc!

Cnoc! Cnoc!
Pwy sy 'na?
Rhodri.
Rhodri pwy?
Rho dri chynnig i Gymro.

Cnoc! Cnoc!

Cnoc! Cnoc!
Pwy sy 'na?
Ceri.
Ceri pwy?
Ceri gysgu.

Cnoc! Cnoc!

Cnoc! Cnoc!
Pwy sy 'na?
Bara.
Bara pwy?
Bar a morthwyl i wneud twll yn y drws 'ma.

Cnoc! Cnoc!
Pwy sy 'na?
Dai.
Dai pwy?
Dai gi bach yn mynd i'r coed.

Creaduriaid Cracyrs

Sut mae rhwystro pysgodyn rhag arogli?
– Torri ei drwyn i ffwrdd.

Beth sy'n llwyd a chanddi wyneb glas?
– Llygoden yn dal ei gwynt.

Beth sy'n wyn gydag un corn ac sy'n rhoi llaeth?
– Fan laeth.

Beth ydy enw'r pysgodyn aur o'm blaen?
– Bob! Bob! Bob!

Pa flwyddyn yw'r orau gan gangarŵ?
– Blwyddyn naid.

Pam mae gwartheg yn gwisgo clychau?
– Achos dyw eu cyrn nhw ddim yn gweithio.

Pam mae eliffantod yn gwisgo hetiau ffelt gwyrdd?
– Er mwyn gallu cerdded dros fyrddau snwcer heb i neb sylwi.

Beth sy'n dilyn ceffyl bob tro?
– Ei gynffon.

Beth sy â chwe choes a dau ben?
– Ceffyl a'i farchog.

Mae fy ngheffyl yn gwrtais iawn. Mae e'n stopio wrth bob ffens ac yn gadael i mi fynd gyntaf.

Pam mae eliffantod yn fawr, llwyd a chrychlyd?
– Pe baen nhw'n fach, crwn, gwyn a llyfn fe fydden nhw'n beli tennis bwrdd.

Beth ddywedodd un lindys wrth y llall wrth weld pili pala'n hedfan?
– Weli di byth mohono i lan yn fanna.

Pobl Od

Pa awdur sy'n rhuo?
– T. Llew Jones.

Beth sy'n fach, pinc, crychlyd ac yn perthyn i Tad-cu?
– Mam-gu.

Gofynnodd dyn i'w gariad beth oedd hi eisiau'n anrheg ben-blwydd.
"Rhywbeth gyda llawer o ddiemwntau ynddo, cariad," atebodd.
Felly fe brynodd e becyn o gardiau chwarae iddi.

Sut wyt ti'n drysu esgimo twp?
– Dweud wrtho i sefyll yng nghornel yr iglw.

Beth ddigwyddodd i'r ferch gwympodd i gysgu a'i phen dan y gobennydd?
– Aeth y tylwyth teg â'i dannedd i gyd.

Beth yw enw cymydog Guto Nyth Bran?
– Beti Nyth Cacwn.

Pam mae chwaraewyr snwcer yn amyneddgar?
– Achos does dim ots gyda nhw i aros tu ôl i'r ciw.

Cân y si-so
Cef a Gwen yn chwarae a gwenu,
Cef i lawr a Gwen i fyny.
Mae Cef ar i fyny, uwchben y to;
Da bo ti Gwen, da bo, si-so!

Aeth Dilwyn un dydd mewn hen long,
I chwilio pellafoedd Hong Kong;
Taflodd Godzilla
'Rhen Dil i'r pen pella
A glaniodd e'n syth ar ei ben, bong!

Darllen Difyr

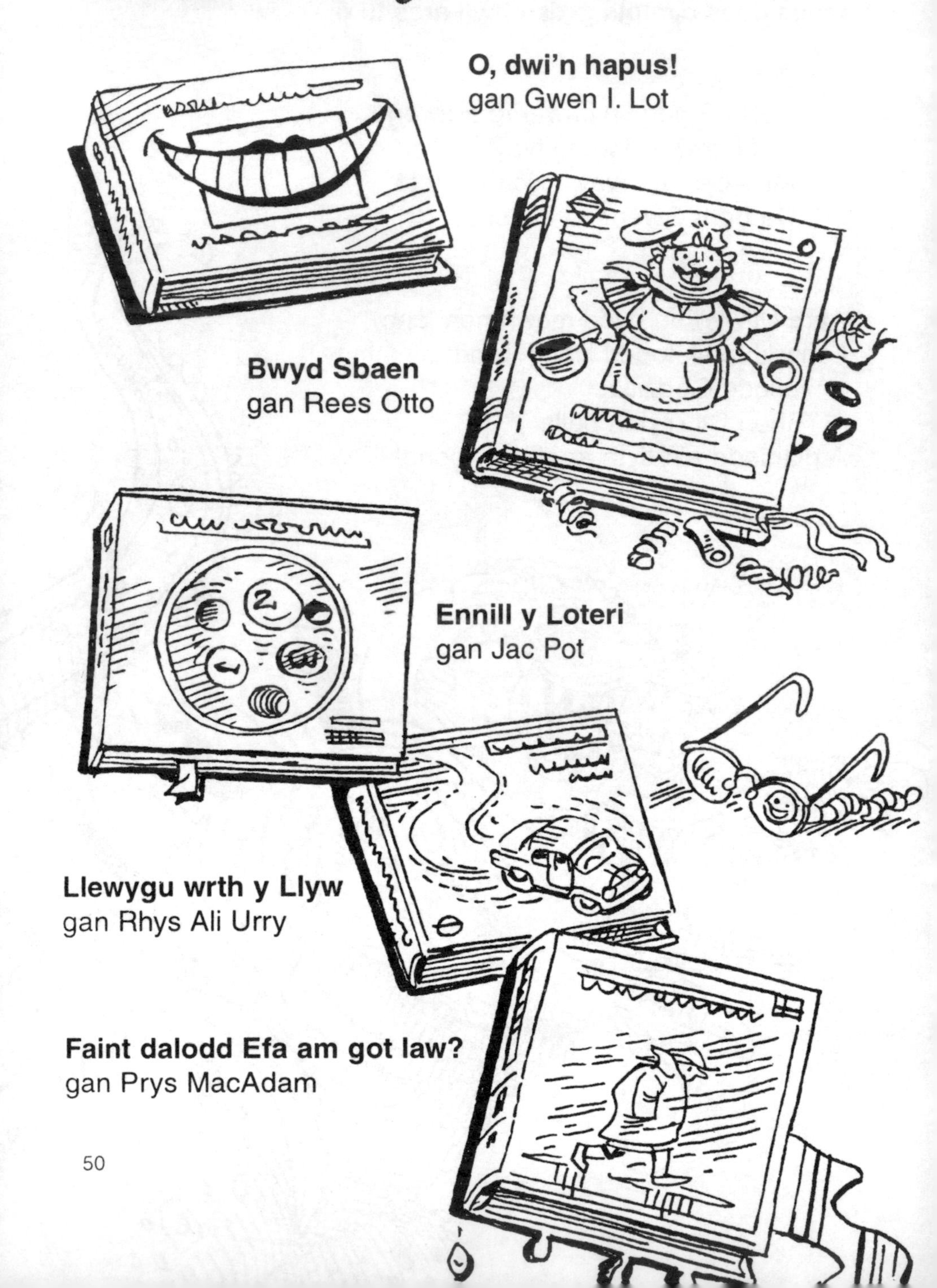

O, dwi'n hapus!
gan Gwen I. Lot

Bwyd Sbaen
gan Rees Otto

Ennill y Loteri
gan Jac Pot

Llewygu wrth y Llyw
gan Rhys Ali Urry

Faint dalodd Efa am got law?
gan Prys MacAdam

Damwain ar y grisiau
gan Perry Gary Starr

Sut i gychwyn sioe dân gwyllt
gan Tania Ff. Huws

Y Gragen gan Tim Alwen

Beth yw ocsygen?
gan Mathonwy

Methu eto
gan Rhian Lwcas

Tei-riau

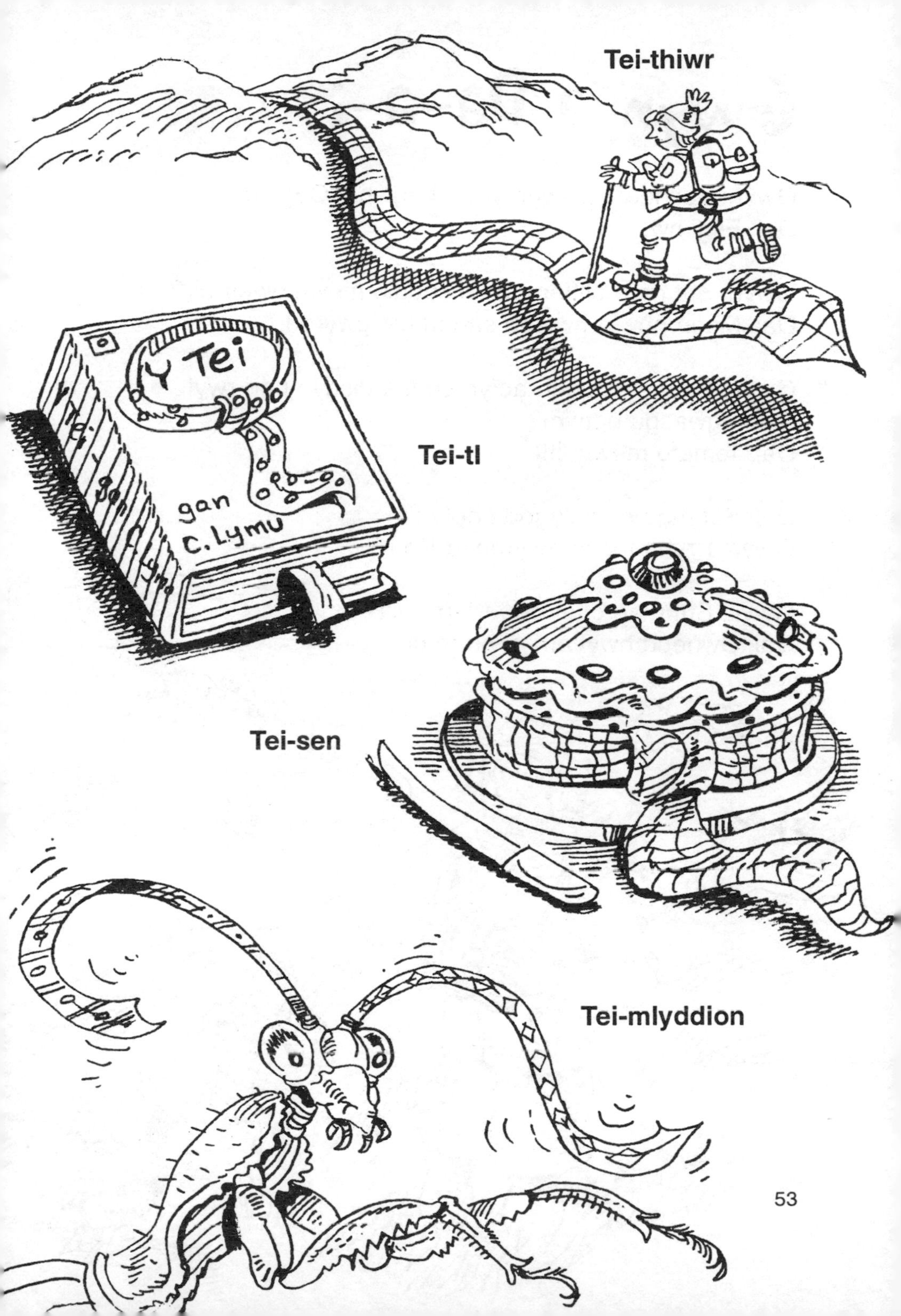
Tei-thiwr
Y Tei
gan
C. Lymu
Tei-tl
Tei-sen
Tei-mlyddion

Gwyn a Da-a-i

Gwyn: Betingalw buwch ym Mhegwn y Gogledd?
Dai: Esgimŵ.

Gwyn: Sut mae eliffantod yn cuddio mewn gwair hir?
Dai: Maen nhw'n gwisgo sanau hir, gwyrdd.

Gwyn: Beth sy'n goch ac yn codi a disgyn pan rwyt ti'n gwasgu botwm?
Dai: Tomato mewn lifft.

Dai: Sut mae cael llygod i hefan?
Gwyn: Prynu tocyn awyren iddyn nhw.

Gwyn: Sut mae cael hwyaden wyllt?
Dai: Gwneud hwyl am ei phen hi!

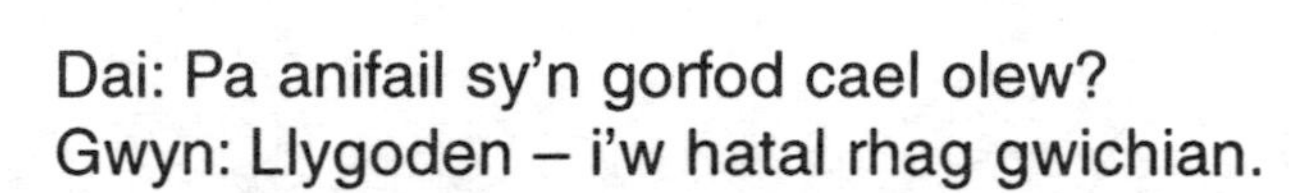

Dai: Pa anifail sy'n gorfod cael olew?
Gwyn: Llygoden – i'w hatal rhag gwichian.

Dai: Ble maen nhw'n coroni brenhinoedd?
Gwyn: Ar eu pennau.

Dai: Glywaist ti am y ddau leidr wnaeth ddwyn calendr?
Gwyn: Do, fe gafodd y ddau chwe mis yr un.

Gwyn: Oeddet ti'n gwybod bod eisiau tair dafad
i wneud siwmper?
Dai: Doeddwn i ddim yn gwybod bod defaid
yn gallu gweu, Gwyn.

Ar y Wal

G'WS

Mae Tutenkamun wedi newid ei feddwl.
Mae e eisiau cael ei gladdu yn y Môr

Hylô!
GWYN

DWI DDIM YN GALLU
COFIO PETHAU ACHOS....

Anghofia am yr uwd, ble mae'r cyfrifiadur?

cach

Mae'n rhaid imi ddysgu sichafu'n gywir.
Mae'n rhaid imi ddysgu sichofu'n gywir.
Mae'n rhaid imi ddysgu sichafu'n gywir.
Mae'n rhaid imi ddysgu sichafu'n gywir.

Ho! Ha!
fŵl Ebrill!

YN EISIAU
PERSON SY'N FODLON CHWILIO AM NWY
GYDA CHANNWYLL. RHAID BOD
YN FODLON TEITHIO'N BELL.

Jôcs Blasus

Beth sy'n felyn, yn drwchus ac yn beryglus?
– Cwstard sy'n llawn crocodilod.

Sut wyt ti'n stopio bwyd rhag pydru?
– Ei fwyta fe.

Beth ydy hoff fwyd ysbryd?
– Hufen ias.

Pam mae llewod yn bwyta'u bwyd heb ei goginio?
– Does dim llyfr ryseitiau ganddyn nhw.

Beth sy'n waeth na dod o hyd i fwydyn yn eich afal?
– Dod o hyd i hanner mwydyn.

Beth sy'n binc llachar gyda smotiau gwyrdd, sy'n canu'n uchel a sy'n bwyta hufen iâ blas sbageti?
– Dim.

Beth sy'n goch ac yn gwneud sŵn bi-bip?
– Mefus mewn tagfa draffig.

Beth sy'n goch ac yn gwneud sŵn pib-ib?
– Mefus mewn tagfa draffig yn mynd am yn ôl.

Pam roedd y dryw yn y llyfrgell?
– Roedd e'n chwilio am lyfrbryf.

Pobl Od

Betingalw Gwyddel sy wedi torri'i goes yn Ffrainc?
– Plastr O'Paris.

Betingalw môr-leidr ar dir sych?
– Lleidr.

Pa un o frenhinoedd Cymru oedd y mwyaf llachar?
– Llywelyn ein lliw olaf.

Mae llun rhyw frenin ar y wal,
Mae'n edrych yn drwsiadus.
Un peth sy'n od amdano fe,
Dyw e ddim yn gwisgo'i drowsus.

Pam wnaeth y dawnsiwr tap benderfynu ymddeol?
– Achos roedd e'n cwympo i mewn i'r sinc drwy'r amser.

Mam: Wyt ti wedi rhoi dŵr glân i'r pysgod aur heddiw?
Plentyn: Nac ydw. Dydyn nhw ddim wedi yfed dŵr ddoe eto.

Betingalw doctor sy'n trin hwyaid?
– Cwac.

Rhybuddiodd doctoriaid na ddylai plant ysgrifennu ar stumog wag.
– Mae papur yn well.

Dosbarth Doniol

Athro: Beth yw'r mis byrraf yn y flwyddyn?
Disgybl: Mai. Dim ond tair llythyren sydd ynddo.

Pa frenin sy'n dwlu ar ffracsiynau?
– Harri'r $\frac{1}{8}$ (wythfed).

Pa fwyd sy mewn bwyell?
– Wy.

Enwch y tŵr sy mewn treiffl.
– Eiffl.

Pa rif sydd yn cenawon?
– Naw.

Ffurfiau lluosog
Afanc – afancod;
Asyn – asynnod;
Ceiliog – ceiliogod;
Merch – rhyfeddod!

Pam roedd yr athro mathemateg eisiau mynd â phren mesur i'w wely?
– Am ei fod e eisiau mesur faint roedd e'n cysgu.

Prifathro: Dyma'r trydydd tro imi roi stŵr i ti yr wythnos hon, Hywel. Oes rhywbeth 'da ti i'w ddweud?
Hywel: Diolch i'r mawredd mai dydd Gwener yw hi heddi!

Athro: Hannah! Faint yw pump a phump?
Hannah: Naw, syr.
Athro: Anghywir! Deg yw'r ateb cywir.
Hannah: All e ddim bod. Ddoe, dywedoch chi mai saith a thri oedd deg.

Mam: Sut oedd cwestiynau'r arholiad?
Merch: Roedd y cwestiynau'n iawn, yr atebion oedd fy mhroblem i.

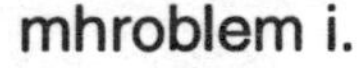

Doctor! Doctor!

Doctor: Gymerest ti dy foddion ar ôl dy fath?
Claf: Naddo. Ar ôl yfed dŵr y bath ro'n i'n rhy llawn.

Doctor! Doctor! Mae Dai wedi llyncu bwled.
Wel, paid â'i bwyntio fe ata i.

Doctor! Doctor! Mae fy llygad yn brifo bob tro dwi'n yfed te.
Cofia dynnu'r llwy allan o'r cwpan y tro nesa.

Doctor! Doctor! Dwi wedi torri fy nghoes – be wna i?
Hopian.

Doctor! Doctor! Dwi'n teimlo fel drych.
Cadw'n llonydd wnei di, dwi'n trio cribo fy ngwallt.

Doctor! Doctor! Mae fy nghoes bren i'n rhoi llawer o boen i mi.
Sut felly?
Mae fy ngwraig yn ei defnyddio i 'nharo i.

Os ydy afal wrth law yn cadw'r doctor draw, beth mae garlleg yn ei wneud?
Cadw pawb draw.

Doctor! Doctor! Mae gen i dair munud i fyw. Beth wna i?
Berwi wy.

Doctor! Doctor! Mae gen i ddŵr ar fy mhen-glin.
Rho dap ar dy draed 'te.

Doctor! Doctor! Mae traed fflat 'da fi.
Cer i nôl y pwmp troed 'te.

Ble . . .?

Ble ym Môn mae Tinci-Winci'n byw?
– Caertybi (Caergybi).

Ble yn Sir Gâr mae'r dyn eira erchyll yn byw?
– Pontieti (Pontiets).

Ble mae het Jac y Do?
– Penderyn.

Ble ym Mhenfro mae dail yn tyfu?
– Arberth.

Ble wyt ti'n debyg o weld het tedi?
– Penarth.

P'un yw'r lle gorau i dyfu cactws?
– Rhosllanerchbigog (Rhosllanerchrugog).

Pa dref sy'n crynu amser te?
– Pwlljeli (Pwllheli).

P'un yw'r lle gwaetha i wisgo fest?
– Festfiniog (Ffestiniog)

Ble mae Jaci Soch bob amser yn wlyb?
– Mochynllaith (Machynlleth).

Ble mae Draciwla'n byw?
– Cnoi-ti (Coety).

Gwyn a Dai-et

Gwyn: Ble dylai banana ugain kilogram fynd?
Dai: Ar ddeiet.

Gwyn: Pam mae adar yn hedfan i'r de yn y gaeaf?
Dai: Am ei bod yn rhy bell iddyn nhw gerdded.

Dai: Pam rydyn ni'n plannu bylbiau yn yr ardd?
Gwyn: Er mwyn i'r mwydod allu gweld lle maen nhw'n mynd.

Gwyn: Beth sy'n rhedeg ond does ganddo ddim coesau.
Dai: Tap.

Dai: Beth ddywedodd un gannwyll wrth y llall?
Gwyn: Beth am inni fynd allan gyda'n gilydd?

Dai: I ba deulu mae'r octopws yn perthyn?
Gwyn: I neb yn ein stryd ni, ta beth!

Dai: Enwa ddeg anifail o Affrica.
Gwyn: Naw jiráff ac un teigr.

Gwyn: Roeddwn i'n llanw fy nghar â phetrol pan laniodd byji ac yfed petrol o bwll ger y pwmp. Hedfanodd o gwmpas yr orsaf betrol sawl gwaith, i mewn i'r garej a lan can metr i'r awyr cyn syrthio fel carreg a tharo'r llawr.
Dai: Oedd o wedi marw, Gwyn?
Gwyn: Nac oedd, dim ond wedi rhedeg mas o betrol!

Gwyn: Beth ddywedodd un golau traffig wrth y llall?
Dai: Paid edrych nawr, dwi'n newid.

Cnoc! Cnoc!

Cnoc! Cnoc!
Pwy sy 'na?
Weli.
Weli pwy?
Weli di pwy wedi i ti agor y drws.

Cnoc! Cnoc!
Pwy sy 'na?
Smotyn.
Smotyn pwy?
Smo tun bîns i fod yn y rhewgell.

Cnoc! Cnoc!
Pwy sy 'na?
Teri.
Teri pwy?
Teridactyl.

Cnoc! Cnoc!
Pwy sy 'na?
Dai.
Dai pwy?
Daihatsu yw fy hoff gar i.

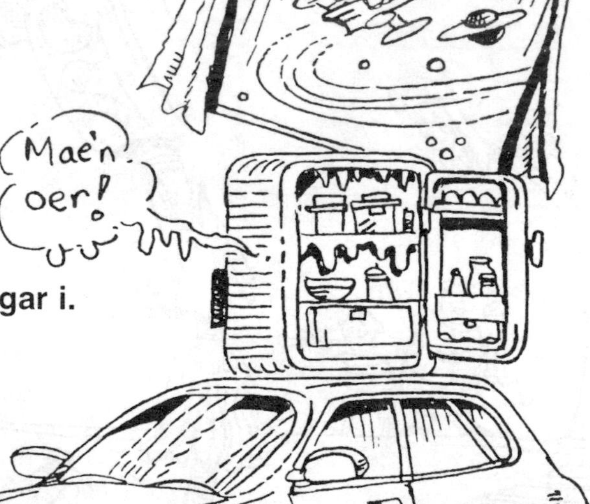

Cnoc! Cnoc!
Pwy sy 'na?
Caer.
Caer pwy?
Cau'r drws 'na, mae hi'n oer fan hyn.

Cnoc! Cnoc!
Pwy sy 'na?
Dan.
Dan pwy?
'Dan ni'n mynd i'r sinema heno.

Cnoc! Cnoc!
Pwy sy 'na?
Anna.
Anna pwy?
Ann a Ceri – merched prydfertha'r pentre.

Cnoc! Cnoc!
Pwy sy 'na?
Iago.
Iago pwy?
Iagor y drws, mae'r rhewi allan fan hyn!

Disg-rifio
D
Disgybl
Disgo
Disgyblu

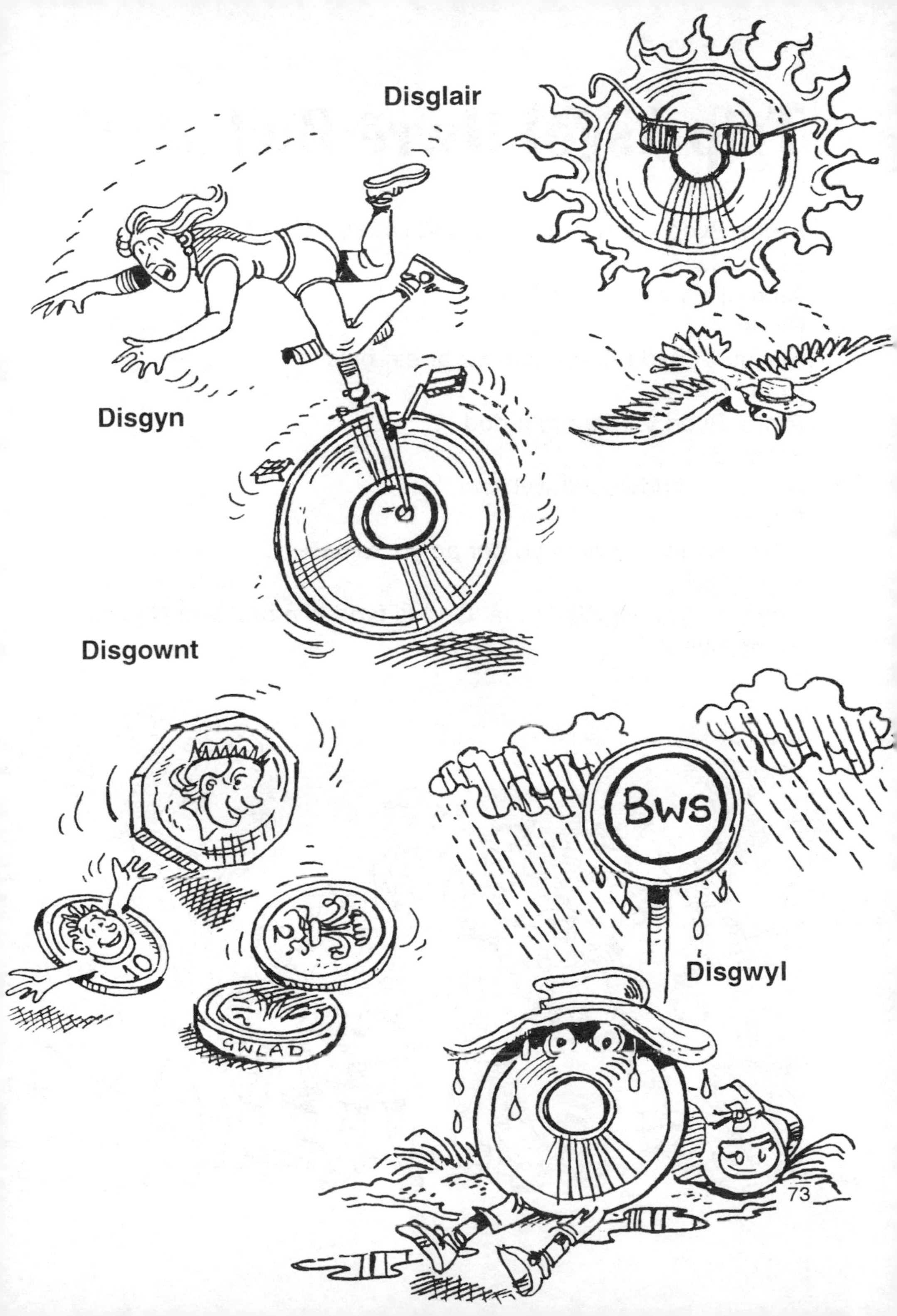
Disglair
Disgyn
Disgownt
10
GWLAD
BWS
Disgwyl

Trip Ysgol Hwrê-Bw!

Athro: Bydd y trip ysgol yn mynd i lan y môr.
Plant: Hwrê!
Athro: Pris y trip fydd £40 . . .
Plant: Bw!
Athro: . . . gyda'r trên, ond £2 ar ein bws ni.
Plant: Hwrê!
Athro: Bydd y prifathro'n dod . . .
Plant: Bw!
Athro: . . . i ddweud hwyl fawr.
Plant: Hwrê!
Athro: Bydd y tywydd yn oer ac yn ddiflas . . .
Plant: Bw!
Athro: . . .yng Ngwlad yr Iâ. Ond fe fydd hi'n braf yng Nghymru.
Plant: Hwrê!

Athro: Fydd dim nofio . . .
Plant: Bw!
Athro: . . . nes i ni gyrraedd.
Plant: Hwrê!
Athro. I ginio bydd pysgod oer a bresych . . .
Plant: Bw!
Athro: . . . i mi; creision, pop a siocled i chi.
Plant: Hwrê!
Athro: Byddwn yn mynd i'r amgueddfa.
Plant: Bw!
Athro: Wedyn i'r ffair.
Plant: Hwrê!
Athro: Bydd yn rhaid dychwelyd am ddeuddeg o'r gloch . . .
Plant: Bw!
Athro: . . . y nos.
Plant: Hwrê!

Pobl Od

Pam roedd Twm Sion Cati'n dwyn oddi ar y cyfoethog?
– Am nad oedd dim byd gwerth ei ddwyn gan y tlawd.

Glywaist ti am y dyn oedd yn gweithio mewn ffatri gwneud clociau?
– Roedd yn gwneud wynebau drwy'r dydd.

Glywaist ti am ferch wnaeth freuddwydio ei bod hi'n bwyta candi-fflos?
– Pan dihunodd, roedd ei chlustog wedi diflannu.

Pam wisgodd y golffiwr ddwy siwmper?
– Rhag ofn iddo gael twll mewn un.

Beth wyt ti'n galw merch gyda broga ar ei phen?
– Lili.

Pwy sy'n encilio i gornel bob tro mae'r gloch yn canu?
– Paffiwr.

Gwraig: (yn ysgwyd ei gŵr). Dihuna! Dihuna! Mae lleidr yn y gegin yn bwyta'r cawl sy'n weddill ar ôl swper.
Gŵr: Cer 'nôl i gysgu, mi gladda i'r lleidr yn y bore.

Beth ddigwyddodd i'r dyn nad oedd yn gwybod y gwahaniaeth rhwng pwti ac uwd?
– Fe ddisgynnodd y gwydr allan o'i ffenestri.

Athro: Moli! Moli! Wyddet ti ddim fy mod i'n galw arnat ti?
Moli: Gwyddwn, syr, ond ddywedoch chi i mi beidio ateb yn ôl.

Daeth llwyddiant ysgubol i Henri,
Enillodd y goron eleni.
  Cafodd slaban o gusan
  Gan ferch o Lan Aman –
Mae'n gwella'n Ysbyty Llanelli.

Be gei di wrth groesi . . .

. . . cloc a digrifwr?
– Jôc y funud.

. . . cangarŵ a phengwin?
– Gweinydd sy'n neidio i fyny ac i lawr.

. . . cnocell y coed a cherddor?
– Rhywun sy'n taro'r nodyn ar ei ben.

. . . pengwin a dafad?
– Siwt wlanog.

. . . cangarŵ ac eliffant?
– Tyllau yn Awstralia.

. . . gwallt ceffyl a chyfarthiad?
– Mwng-ci.

. . . jiráff a draenog?
– Brwsh dannedd pymtheg metr.

. . . jiráff a draenog eto?
– Brwsh crafu cefn hir iawn.

GWYN A DAI

Gwyn: Dwi newydd weld peth rhyfedd iawn!
Dai: Beth?
Gwyn: Wel, mae ganddo bedair coes ond dim ond un troed.
Dai: Beth oedd o?
Gwyn: Gwely!

Dai: I ba gwestiwn alli di fyth ateb 'ydw', er ei fod o'n wir?
Gwyn: Dim syniad.
Dai: 'Wyt ti'n cysgu?'

Gwyn: Sut bydd pobl sy'n gweithio mewn ffatri sebon yn teimlo ar ôl diwrnod caled o waith?
Dai: Dwn i ddim.
Gwyn: Wedi blino'n lân!

Dai: A finnau hefyd!
Gwyn: Ie, dyna ddigon ar y jôcs nawr.
Dai: Ia, nos da.

Gwyn: Un fach arall . . . beth ddywedodd y cwch bach wrth ffarwelio â'r un mawr?
Dai: Beth?
Gwyn: Hwyl fawr!
Dai: Ie, ha ha. A hwyl fawr i bawb!